시즌2 SYMPATHY 2

미팅 이후로는 시간이 어떻게 흘러갔는지 기억이 안 난다.

……

벌써 내일 모레가 **출국**이라니…

이젠 정말 돌이킬 수 없는 거겠지?

벌써부터 속이 울렁거려…

어떡하지…

어떡하냐고…

이경아.

헉, 네??

퍼떡

요즘 계속
멍한 것
같아서.

괜찮아?

……

아냐.
정신 차리자….

형까지
걱정시킬 순
없지.

ㄲㄲ

윽, 그래도
계속 긴장돼…!!

5

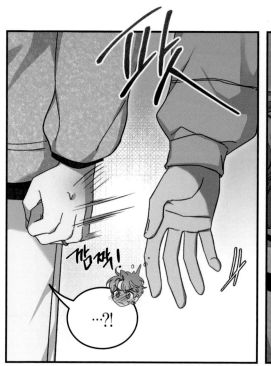

…?!

왜,

왜 그래, 아까부터?

내일 모레 출국이잖아요…

…아아.

…!

두근

현장에서는 절대
안 잡아줬으면서…!

……!

……!!

두근

두근

왜 그렇게
긴장해.

가서
실수할까 봐?

…아무래도요.

처음부터
잘하는 사람이
어딨어.

누구나 처음엔
실수해.

만지작..

걱정이 특기인
사람한테
걱정하지 말라고
할 순 없지만…

최대한 도와줄게.
힘들면 말해.

…고마워요.

형 아니었으면 절대 이 일 못 했을 거예요.

무슨 소리야.

그래, 뭐… 약간의 행운은 있었지.

그래도 여기까지 온 건 다 네 능력이야.

행운이 있다고 해서 다 너만큼 하진 못해.

……

키스하고 싶어요…

안 돼, 인마~.

짜
앵

아, 더워!

최이경 씨?

같이 가서서 마지막으로 피팅 체크할게요.

깜짝

피, 피팅이요?

알겠습니다…!

짐 더 있으신가요?

스…

11

아. 먼저
와계셨네요.

어…

야, 근데
너는 나이도
안 먹냐?

장시간 비행에도
팔팔하네.
난 지금 걷기만 해도
멀미 나….

얼굴은
술톤인데?

더워서 그래,
더워서!

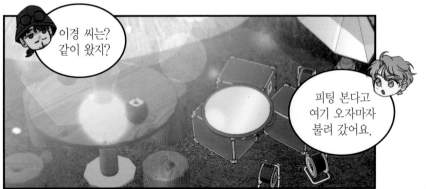

이경 씨는?
같이 왔지?

피팅 본다고
여기 오자마자
불려 갔어요.

그렇구만….

……

만난 지는
얼마나 됐어?

……네?

아버지랑은 아직도 연락 안 해?

뭐 이젠 연락할 거리도 없더라고요.

아무튼!

만난 지는 오래됐어요.

작년에 그 일 있고 백수됐을 때 만났으니까.

…야. 주빈아.

너는… 진짜 천재야.

엥…?

15

걔 저번에
남의 계약 건드렸다가
일 터진 거
알지?

그 자식 언젠간
그럴 줄 알았다니까.
너무 경솔해.

두 번은
안 터질 거라는
장담 못 해.

…그건
그래요.

근데… 선배,
감사합니다.

이번 촬영에
저까지
붙여주신 거.

너는
일 늘어나는 게
고맙냐…?

그리고, 너랑
최이경 씨 부른 거
나 아니야.

내가 말했지~

얼굴 아깝다고~

박 실장 입김이지롱.

예…?!

바, 박 실장님 입김이요…?

어디부터 박 실장님 입김인데요?!

알면 뭐. 어쩌게. 숨 참게?

최종 승인은 나니까 고마우면 마지막 날 보드카 쏴.

아니면 센스를 보여주던지.

와, 수영장 진짜 좋네.

놀 시간은 있으려나?

없겠죠….

…당했다.

형!!

응?!

벌써 피팅 끝났….

–다음 날 아침.

어제 저녁

최이경 씨~.

정신 없죠?
내일 하는
본촬영은 더
정신 없을걸.

많이
어색하겠지만,

저녁 식사 하고
다른 모델들이랑
인사도 나누고
그래요.

다른
모델들이랑
인사…

숙소로
들어가자마자
바로 곯아떨어져서
하나도 못 했네.

…….

……?

……어

엇…

*헤어, 메이크업

*헤메까지 아직 시간 충분한데 일찍 나오셨네요?

아… 몸이 좀 부은 것 같아서 뛰려고요.

아, 저도 엄청 부었어요.

어제 저녁 메뉴가 간이 좀 셌죠!

생각해두신 코스 있으세요?

없으시면 같이 뛰어요!!

파!

느… 네! 좋네요….

이 업계는 전부 외향인인가…

25

혁…

혁…!

우웩…!
붓기고 뭐고
배고파 죽겠다….

이경 씨는 어떻게
그렇게 아무렇지도
않을 수가 있죠…?

▼ 평소에도 운동함.

잠깐
쉬실래요?

제발요….
제발 앉게
해주세요….

후아~
살았다!

……

26

…저, 이현모 씨 자주 봤었어요.

아뇨! 그게 아니라.

집 근처 백화점 전광판에서…

어? 진짜요?

우리 구면이었어요?!

아아~!! 아, 뭐예요!

ㅋㅋㅋ

그런데 저는 이런 해외 촬영은 태어나서 처음이라 지금 너무 긴장되거든요… 많이 알려주세요.

에이~ 저도 경력 연수만 길지, 긴장되는 건 똑같은데요?

쿵...

……

사실은 저야말로
이번 촬영이
긴장돼요.

촬영 확정 나고
밤에 잠을 못잤어요.
이 직업은 자신감이
중요하다지만…

……?

그렇게
오래 해봤어도
긴장이 돼요?

오래 했지만,
이전에 일했던
크루가 문제가
많았던 곳이라

좋은 기회 잡기가
어려웠거든요.
하나같이 싸구려에.
계약 문제에…

이 얘기
어디서 들어본 것
같은데.

아, 맞다.
이경 씨.

이주빈 작가님이랑
사귀는 거 맞죠?

푸흡….

……그,

그걸…
어떻게 아셨….

깜짝이야..

실은 어제
작가님이랑 상 대표님이
나누는 대화
들어버렸는데…

너무
궁금해서요….
죄, 죄송합니다….

이렇게
놀라실 줄은…

…아. 괜찮습니다.

부욱

그럼 대표님도 아시겠구나…

다행인가…

저 사실, 3년 전에 그 크루에서 작가님이랑 같이 일했었어요.

?!

형, 아, 아니…

이, 이주빈 작가님이랑요?

네. 작가님은 기억 못 하실걸요.

그때도 워낙 유명했어서…

…그렇구나.

음… 이경 씨도 작가님이 말해주셔서 아시겠지만.

당시에 작가님이 만나셨던 모델도 되게 유명했잖아요.

…저 지금 엄청 눈치 없는 발언 했죠.

사아아;

아닙니다….

괜찮… 아요.

그, 그게… 왠지 두 분 오래 만나신 것 같아서

쮹

이 얘기는 이미 들으신 줄 알고…. 아까부터 죄송합니다….

부빗

아뇨… 제가 직접 물어보면 되니까 너무 신경 쓰지 마세요….

허둥

자둥

마, 맞아요! 다 대답해주실 거예요.

작가님도 얘기할 타이밍을 고민하고 계셨던 걸 수도 있어요!

…그렇죠.

그냥 다 처음
듣는 이야기라서…
살짝 놀란 거예요.

살짝이 아닌 것
같은데요….

모델이었다는 건
곧,

이 일을
계속하다 보면

슬슬
일어날까요?

언젠가는
마주치게 될 거라는
뜻인가?

오케이.

잠깐 쉴게~.

휴우우…

……

이경 씨
긴장 많이 했나?
표정이 안 풀려.

안 그래도
이미지가 센데 말이지…
얼굴이 너무 굳어서
더 세 보이네.

액세서리
화보인데 제품도
안 보이고요.

그나마 옆이
잘하는 친구라서
다행이네요.

옷도. 봐 봐.
남의 옷 입혀놓은 것
같잖아.

저거 원래
그 아이돌이
입기로 한 옷이긴
하거든?

왠지 묘하게
최이경 이미지에서
빗나갔다 했더니…

두리번

…!!!

와

하아….

뭐,
뭐지…?

갑자기 마음이
안정돼…

얼굴 못 본 지
고작 30분 지났음.

아아

형…!

응…?

어딨었어요!
한참 찾았잖아요.

사, 갑자기
나타나지 마…

촬영은 어때?
할 만해?

피곤하진
않고?

소악

눈 피하는 중…

촬영은
다 괜찮은데요,

척

쪽짝…

우리 너무
오래 떨어져 있는 것
같아요.

38

수고하셨습니다!

두리번

작가님!!

누구... 아아.

촬영 수고 많았어.

감사합니다!

근데 저... 기억하세요?

응?
갑자기?

아앗…

역시 기억
못 하시는구나….

아냐. 기억해.

!

한종원네
크루였잖아.

내가 너
모델 프로필 촬영
맡았었고.

뭐,
그 양아치 때문에
애써 찍은 거
다 날렸지만….

그 난리통에도
너만 입 꽉 다물고
촬영 따라왔는데
어떻게 까먹어.

......!

여기서
볼 줄은 몰랐네.
오늘 촬영
좋았어.

아앗

감사합니다.
쑥스럽네요….

괜찮아?
이야기 들었어.

너 이번에
한종원
고소했다며?

괜찮아요! 오히려
그 또라이한테
위약금 뜯을 생각에
행복한데요?

그 금수저한테는
푼돈 잃어버린
수준이겠지만요.

헤헤

웃으면서
할 말 다 하는 건
여전하네….

근데, 누구 찾으세요?

어, 맞아. 최이경 씨 못 봤어?

아까부터 갑자기 안 보여서.

최이경 씨요?

아까 스태프 음료수 사 온다고 나갔는데요?

나갔다고?!

Hello~

이상한 사람한테 시비 털리면 어떡하려고 혼자 나갔지…?

심각.

???

sorry.

예? 최이경 씨가요?

너무… 괜한 걱정 아닐지.

다녀왔습니다!

감사합니다, 이경 씨!

제가 가야 되는데 죄송해요….

감사합니다!

오늘 사진 너무 좋았어요.

우와~

최이경 씨 낯 많이 가리는 줄 알았는데, 의외네요?

……어.

그러게….

이야아….

-몇 시간 전

술값은 됐고

데이터를 주시죠…

너 이러는 거
이경 씨도 아냐?

까똑으로 보낼게

멍..

......

미안.

이쭉

최이경 잘생긴 건
진작에
알고 있었는데,

오늘따라 유독
잘생겼더라고!

......

남의 속도
모르고…

기분 좋아 보이니까
집에서 쉬는 날
물어봐야겠다.

쪽.

가슴
다 보인다…

형, 그런데…

소다닥..

어, 응?

손목 묶인 건
왜 확대하고
있었어요?

……!

……!!

뜨끔..

쪽
쪽

어……,
그, 그게…

…그게?

그래. 묶인 게
섹시해서
크게 좀 봤다!

뭐! 어쩔래!
그러면 안 돼?

으아악

뭔 개소리야…!!
어쩌긴 뭘 어째~!!

형, 혹시.

제 손목.

묶어보고
싶어요?

……

두근…

두근

두근…

…진짜
그래도 되나요?

안 될 것노
없죠….

존댓말…?

꿀꺽

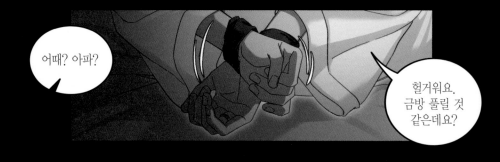

어때? 아파?

헐거워요. 금방 풀릴 것 같은데요?

모델한테 자국 남으면 안 되니까.

그럼… 안 풀려고 해볼게요.

……

버스럭

……

…나 이런 건
처음 해봐.

저, 저도
처음이에요.
이런 거…

아,
좋은 냄새…

다 낯선데
형 냄새만
그대로라 그런지

평소보다
좀 더 흥분되는 것
같기도 하고…

꿀꺽..

두근..

헉, 나 이런
취향이었나…!?

꾸욱

…흐흥.

뭐부터
해야 할지
모르겠네.

꼬옥

쓰벗

…저는,
지금도

화끈.

충분히…
흥분되는데요….

아.
생각났어.

뭔데요?

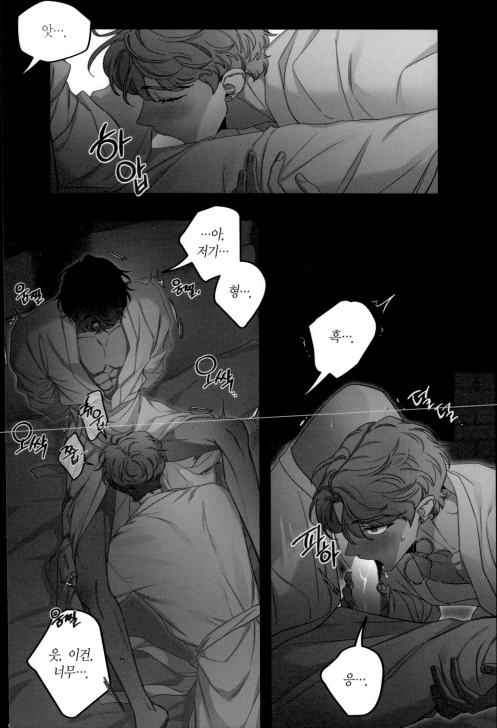

…어제는,

결혼하자고
그랬으면서…

하아…

으,

흐웃…

하아.

하아.

다
풀렸어…

하.

……?

이제 진짜
풀어야 할 것
같은데요…

엑~ 벌써!?

아쉽~

계속 이러고
있으면 형 혼자
해야 하잖아요.

괜찮겠어요?

……

윽~

헉…

흐읏…

흐읏…

흐읏…

으…

내가 아까
여기 오자마자 왜
바로 씻었는지
알아?

들어오면서…
나도 모르게
흥분을 했는지,

뻐이시

뻐이시

움찔…

움찔…

아웃…

앞이 흠뻑
젖었더라고….

스…

으읏…

꿈틀…

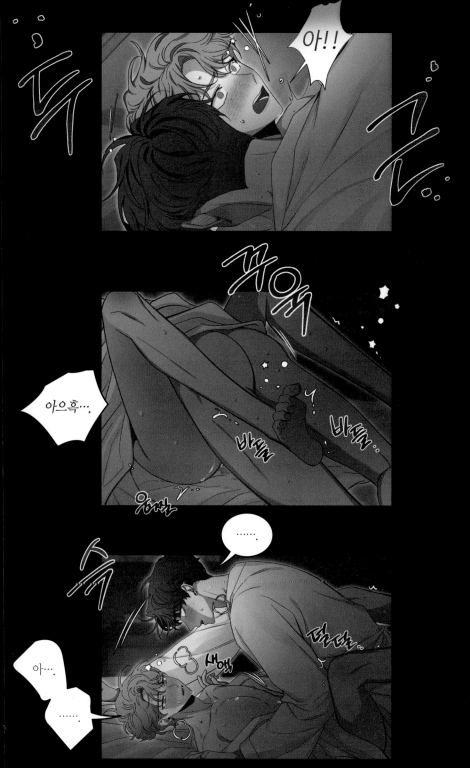

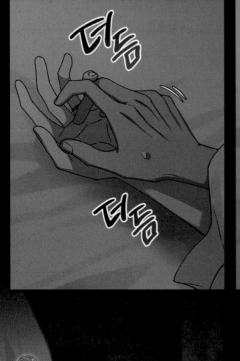

......?

…한 번 더,

할 수 있죠?

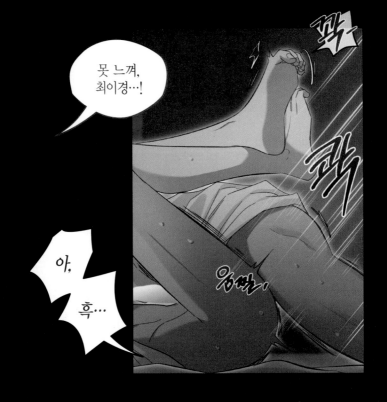

으으음….

……

하지 마…

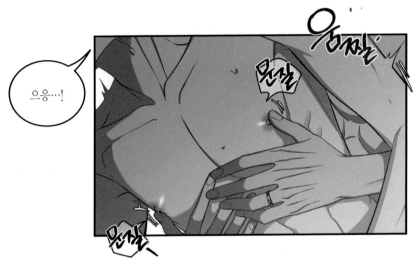

…하, 하지 말라니까…!

응아잣

까익

끅

읏…

아, 좀….

움찔

운질 운질

아직 알람도 안 울렸잖아….

…….

울렸… 어요.

응앙

…뭐?

진짜?

……ㄴ

…안 울렸네.

흐흥….

…….

어제 그렇게
해놓고…

…뭐를요?

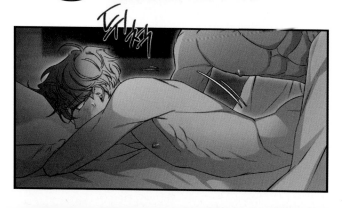

……

고마워요.

별걸 다….

웃…!

아파요?

괜찮아요?
지금은?

…안 아파.

…아침부터
왜 저러냐,
진짜…

좋은데
왜요…

……?

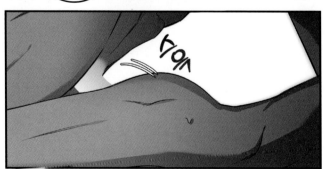

스케치
SKETCH

......

너 어제
무슨 일 있었어?

새벽부터
열렬했던 거
보면

어디 아픈 건
아닌 것 같고.

……

집에 가서
얘기할게요.

……?

응…

오늘만 촬영하면 내일은 쉬죠?

내일 저녁에 수영장 갈까요? 뭐 하고 싶어요?

어? 음... 수영장 좋다.

그럼 저녁 먹고 같이 수영장 가요.

...어어.

좋지. 기대되네.

별일 아니겠지.

도대체 무슨 이야길래?

...아냐. 괜찮아. 얘기를 해서 해결되는 거라면.

–며칠 뒤, 한국

이거 이거~

귀국하자마자 불러내서 미안하다!

괜찮아요… 무슨 일인데요?

진짜 하나도 안 괜찮아 보여….

크헝..

이경 씨도 같이 부르려고 했는데 아쉽구먼.

이경 씨는 오늘 본사 미팅이었지? 그쪽도 바쁘네.

회사 소개할 겸 하드 캐리한 모델 한 번 보려는 거겠죠.

찰칵!

그 덕분에 돌아와서 하려던 이야기는 다시 미뤄졌지만.

꾹 꾹

이경 씨가 처음엔 좀 뻣뻣해도 곧잘 적응하는 것 같더라.

이제 걔 데려가려고 사방팔방에서 난리일 거야.

…오늘 미팅 이현모도 갔죠?

그럴걸?

현모 자식… 분명 최이경 그냥 안 둘 텐데~.

주춤.

무, 무슨 뜻이에요?

만남 김에 같이 저녁이라도 먹고 들어가지 않을까, 이 말이야.

얘네 이야기는 이제 됐고,

…….

최이경!

어, 어?

뭐야~
왜 그렇게 놀라?

아… 하하.

말 놓은 거
적응 안 돼서….

밖에서 만나면 좀 더 친해질 줄 알았는데….

역시 그 일 때문인가?

너 표정 못 숨긴다는 말 자주 듣지.

껍치

…….

그렇긴 한데 갑자기 왜?

너 내가 이주빈 작가님 얘기한 뒤로는

나한테 유독 차갑게 대하잖아~ 촬영장에서도 그렇고, 지금도 그렇고.

그 애기만큼은
작가님한테 직접
듣고 싶었는데

생판 남인
내가 눈치 없이
떠들어서 찝찝한 거
아니야?

차랑...

...미안.
못 숨겨서.

그렇다고 네가
싫다거나 한 건
아니야.

그냥 좀…
생각이 많아져서
그래.

나 참…
뭐가 그렇게
고민인데?!

…해외 촬영
다녀온 이후로
일정이 끊이질
않아서

형이랑
그… 얘기를 나눌
시간이 없거든.

…….

앞으로도
점점 이런 식으로
시간 뺏길까 봐
걱정돼.

그렇다고
일을 안 할 수도
없고.

그건
그렇지~.

어라…
저런 얘기까지는
안 할 줄
알았는데.

저 성격에
짜증 내는 건 또
신선하네.

109

내가 차라리…
다른 일을
했다면

지금보단
시간이 많았을까
싶기도 하고.

다른 일?
무슨 다른 일?

나 사실…,
그림 그리려고
했었어.

헐…
대반전.

근데 순수 미술은
졸업 직후에
할 수 있는 일이
진짜 없어….

게다가 지금
형이랑 동거 중인데
경제적으로 마냥
기댈 수는 없잖아…
내가 졸라놓고….

중얼

중얼…

야…
진정해!

111

그래도, 작가님을 만나기 전의 네가 미술에 쏟았던 시간과 노력이

모델이 된다고 해서 갑자기 없던 일이 되진 않을 거 아냐.

…….

그건… 맞지.

있잖아~ 나는 모델 하겠다고 처음 말했을 때

주변에서 다들 무슨 모델을 하냐고, 아이돌이나 하라고 그랬어! 웃기지.

…? 어디서 웃어야 하는데?

아니 내 말은 아이돌이 웃기다는 게 아니라…

아이돌'이나'가 웃기단 거야.

내가 밤낮으로 런웨이 연습하고 몸 관리 했듯이

그 사람들도 죽어라 연습했을 텐데.

연습생들이 시간이 남아돌아서 연습을 했겠어?

간절하니까 그 길을 선택하고 노력한 거잖아.

그러니까 너도 미술을 했겠지.

......!

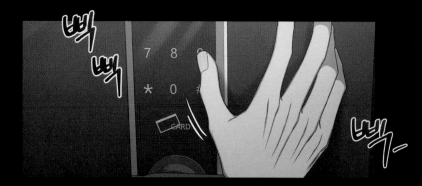

삐빅
삐빅

삐빅ㄱ

으아…

!?

형?!!

왜 여기서
자고 있어요?!

으음…?

어,
왔어…?

비빗,

술 마셨어요?
혼자 온 거예요?!

아아,
걱정 마….

선배네
집에서 마셨더니
데려다 주셨어….

선배…는
상구 작가님이죠?

다행이다….

…이경아.

네?

나는 한 번 낭떠러지 아래로 떨어져봐서 알아.

형…?

다시 아래로 떨어지면, 내가 과연 살 수 있을지.

그래도 못 믿겠으면 한번 버려봐.

그땐 나 믿어줄래?

내가 생각했던
오늘 밤은

이런 게
아니었는데.

하아,

아!…

퍽 퍽

혁… 아아…

싸악

오늘 하루가
어땠는지,
무슨 대화를
했었는지

싸악

혁,
하아…

밤새도록
이야기하다가
잠들고 싶었는데….

도대체
왜 이렇게
된 거지.

아…

으응,

퍽
퍽

왕짤

아윽,

아…!

퍽

왕짤

침대로
가요.

무릎...
아프잖아요.

어..., 왜?

지금
좋은데...

다 좋은데...

뒤로 하면서
아까부터 아무 말도
안 하는 건 좀,

무섭다...

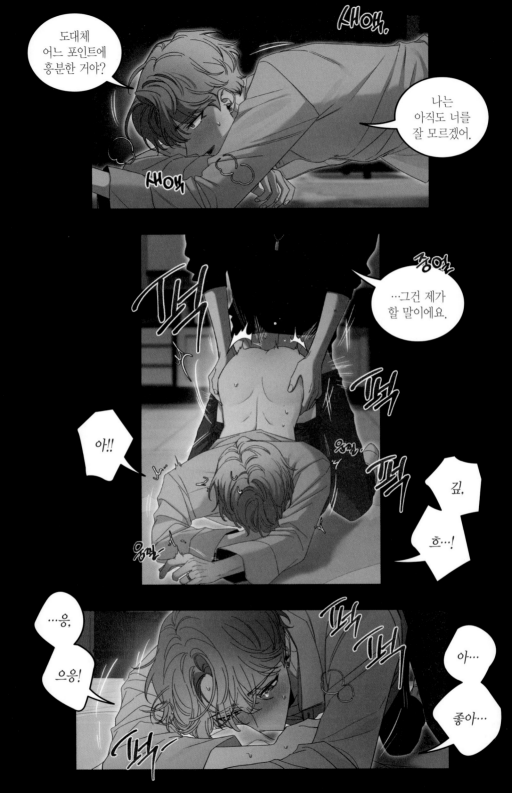

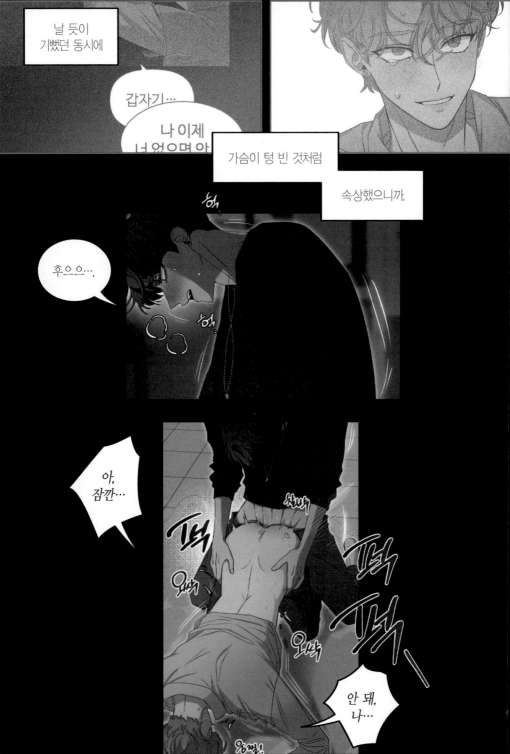

이, 이제…

진짜, 그만…

더 나올 것도 없어…

왜 그런 말을
했냐구요···.

으추적.

당아···.

이,

이경아···?

ㄲ아악

···!

척

으…

꽈악.

나는
안 버려요.

난
헤어지기
싫다고요.

찌릭찌릭

만약 형이 먼저
헤어지자고 해도
저는 싫어요.

그런데…,
어떻게 버려보라고
말할 수 있어요.

나는 이제

형이 준 게
전부인데….

꽈아아악.

……

이경아…

형이랑
정말 헤어지면,

형이랑 보낸
모든 시간들을

애써 전부
없었던 일인 척
스스로를
속이면서

형이 없는
텅 빈 집에 혼자
남아야 할 텐데

그 공백을

이제와서
어떻게
버티라고….

다른 사람도
아니고

내가 하면
안 되는 건데…

결국은
내 주변이 다쳐봐야만
깨달을 수 있다.

그리고
그 버릇이 그동안

얼마나 나를
다치게 하고
있었는지도

다신 이런 말
안 할게.

그때서야 비로소
깨닫게 된다.

....

아, 빨리.

앗,
아야야!

아,
알겠어~.

근데 있잖아.
사실 내가…

너한테
그런 말을 했던
이유가 있다면
믿을래?

들으면 너
완전
어이없을 수도
있어.

진짜
들을 거야?

…일단 한번
들어 보고요.

뭔데
그래요?

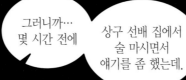

그러니까…
몇 시간 전에

상구 선배 집에서
술 마시면서
얘기를 좀 했는데.

야…
이주빈.

어이~
이주빈이!

나 그냥
솔직하게 한마디만
해도 되냐?

위짝

위짝

해요, 해….

웅얼…

너네 그냥... 서로를 너무 사랑해서 졸라 꼴값 떠는 것 같거든?

푸웁‥

버럭

뭐가 그렇게 둘이서만 복잡해 죽냐?!

연애 생초보 최이경이는 엉? 무슨 고생이고??

버럭

확! 실하게 좀 말해주란 말이야…

애매하게 굴지 좀 말고!! 너 그거 진짜 나중에 안 좋다…

나 너 없으면 죽는다!

진짜 인마! 헤어지면 죽을 거다! 화끈하게, 어?!

핫‥

……!

오늘 촬영 예정보다 빨리 끝났네요.

그러니까! 조기 퇴근한 기분이야.

집도 가깝고 날씨도 좋은데 잠깐 걷다 갈까?

오후에 다시 작업실 가야 하지 않아요?

글쎄~.

내 남친이 분리불안이라.

어떻게 할지 고민 중.

......!

가지 마요! 땡땡이 쳐요!!

하하하!!

최이경 그렇게 안 봤는데 기회주의자네~.

너 어제 이현모랑 저녁 먹으면서 고민 상담했다며?

......?

현모가 형한테 연락했어요?

깜짝!

'현모'~!?

으응...

둘이 말 놨다더니 진짜였네….

파악.

걔가 먼저 동갑이니까 말 놓자고 하더라구요.

쳇…

걔랑 너무 친하게 지내지는 마.

깜짝

왜요…? 무슨 일 있었어요?

…바보.

진짜
몰라서 물어?

땡

지금
그 애매한
표정은 뭐야?

뻘
뻘…

형이…
이렇게 대놓고
질투하는 건

처음 보는 것
같아서….

149

최이경 너는 절대 몰라.

난 네가 잠깐 눈이라도 돌리면 그새를 못 참고 온갖 상상을 해.

물론 네가 다른 사람이랑 있을 때도 그래.

연애 전보다 더 여유롭지 못해. 오히려 분리불안은 나일 지도 몰라.

……

나만 그런 게 아니었구나.

전혀 몰랐어… 기쁘다.

이경아.

넌 오늘 시간 괜찮아?

네. 괜찮아요.

⋯⋯.

으음⋯.

그럼, 잠깐 할까.

몇 년 전 그 이야기.

스케치
SKETCH

저는 작가님이 아니면 안 돼요.

꾸욱

뺘아

아

네가 나랑 작업한다고 해서

네가 갑자기 마법처럼 뜨는 것도 아닌데?

너도 알잖아.
이 바닥에
복권 당첨 같은 건
없는 거.

그 복권이
작가님이라면
당첨운은
있겠죠.

스윽

...휴우.

야.

이름은
기억이 안 나는데...
아무튼.

너 내가
요즘 촬영하는
모델들이

나랑
자서 떴다고
생각하지?

......?

뭐라고요?

꺼지라고.

아니,

저기, 작가님. 저는-

웨엑-

그냥 가라. 다신 이런 식으로 찾아오지 마.

한종원 그 새끼 주둥이를 꿰매버리든가 해야지….

쿵얼..

…허.

쏴아아..

어차피 만나게 될 텐데.

아오~
이주빈!!

얘 미치겠네,
진짜!!

…난
네가 말한 줄
알았다고.

야!
내가 아무리
막나간다고
해도

신인 애들한테
네 사생활까지
말하고
다니겠어!?
ㅋㅋㅋ

끄아아!!

아오, 형이
우리 주빈이 덕분에
웃는다~!!

미친놈아!
닥쳐…!!

안 그래도
쪽팔리니까!!

시끄러워.

157

앞으로 같은 배 타게 된 사이인데 왜 그러냐~ 어?

쟤가 저래 보여도 너 잘 챙겨줄 거야. 걱정하지 마!

이건 또 무슨 취급이지…

이주빈 너도 철벽 치지 좀 말고. 쟤 순전히 너 때문에 여기 들어왔대.

아, 너 헤어졌댔나? 쟤한테는 이상한 짓 하지 마~ 알겠지?

안 해!!!

그런 걸로도 유명한가보네.

그럼 나한테 제대로 말을 하고 여길 데려왔어야 할 거 아냐…!!

너 때문에 아까 전에 쟤한테 별소리 다 했잖아!!

그만 마셔 그만 마시고 그냥 나가

말했어도 데려오지 말라고 했을 거잖아~♪

첫 날부터 이러지들 말고 둘이 짠 해, 짠!

몇 년 전

'크루'라는
겉만 번지르르한
이름 뒤는

뚜렷한 목표도 체계도 없이
그저 정거장처럼
왔다 갔다 하는 놈들로

그야말로 엉망진창이었다.

그리고
나는 나대로

오랫동안
짝사랑했던 친구를
사고로 잃게 되면서

닥치는 대로
사람을 만나고 다녔던
시기이기도 했다.

그러면 조금이라도
채워질 줄 알았는데,

나를 원하는 사람을
만나면 만날 수록

바닷물을
마신 것처럼
갈증이 심해졌다.

당장의 외로움을
채우겠다고 마셨던
바닷물이

가슴 깊이 있던
상처를 더 곪게
만든 셈이었다.

좋은 사람은
반드시 좋은 사람을
만나게
되어 있다고.

인과응보.

나는
스스로의 처지를
이렇게 생각했다.

결국은
나도 끼리끼리인
거겠지….

……

징그럽게 잘생기긴 했네.

나의 20대는,

과도기의 연속이었다.

천재들은 원래 싸가지들이 없나.

저렇게 생겼는데 왜 굳이 이딴 곳을 찾아오지.

그래서인지
도백운과의 첫 만남은
서툴기 짝이 없었다.

−현재,
크루 사무실.

너 그래서
이 일 할 거야
말 거야?

여기 편집부에서 빨리 시간 잡자고 쪼고 있다고.

이주빈이 너 촬영하는 거면 이주빈 인터뷰도 같이 따도 되냐고!

그러게 왜 자꾸 일언반구도 없이 중간에서 구두 계약을 해 오는 거예요.

형이 사고 쳤으면 형이 알아서 리스크 감당해야죠.

대체 돈이 얼마나 많아야 그렇게 인생이 심심해져요?

숨만 쉬어도 막 좀이 쑤시나?

……

무슨 놈의 위약금을 편의점에서 담배 사듯이 물어.

떨어지면 물고. 또 떨어지면 물고.

이렇게라도 해야 일 들어오는 거 알잖아, 이 재수 없는 새끼야…

그렇게 하니까 일이 들어오는 족족 망하는 거겠지.

하… 저 새끼 아까부터 맞는 말로 형을 줘패네…

근데. 솔직히 말하면 나 좀 궁금해.

이주빈이랑 아예 좆난 사이라면서 너야말로 왜 이렇게 질질 끄는 거냐?

너라면 진작 이주빈이랑 미팅 일정 잡고,

계약을 깨든 진행을 하든 뭐라도 했을 텐데?

……

근데 백운아. 지금 네 꼬라지 좀 봐.

언제는 이 계약 취소한다, 언제는 시간이 없다 둘러대면서

혹시 뭐 기다려?

이주빈도 없는 이 사무실은 개근상 수준으로 출석하잖아.

어라.

어라라라.

왜 대답을
회피하실까나~

헉, 뭐야?
그 일 하려고?!

여기는 나랑
이 작가님 같이
나오는 것만 기다리는
것 같은데

그게 되겠어요?
그리고 어차피 못 해요.
나 해외 나가서.

필요 없기는!
쟤가 너 보면 펵이나
어우~ 어서 오세요~
하겠네.

아니, 야!!
야, 도백운!!

요즘 들어
무슨 생각을
하고 사는 건지
모르겠네….

하~ 진짜
저 새끼….

불안한데,
저거.

지금 시간이면
작업실에 있겠지.

아니면…
윗층이 그 사람
집이니까―

지이잉―

지이잉
지이잉―

지이잉

네,
실장님.

어,
백운아~.

너 지난 주에
파주 호리즌 가서
촬영한 거.

네.

그 때 갑자기
일정 생겨서
인터뷰 못 땄잖아.

안 바쁘면
지금 따려고 하는데
뭐 해? 바쁘니?

그게….

지금 오면
W사 웹 드라마
감독님이랑도
식사하려고 하는데

왜 그래?
많이 바빠?

아뇨. 바로
가겠습니다.

지금 사무실에
계시죠?

아니~ 나 지금 감독님이랑 식사하는 곳 근처 카페 왔거든?

위치 찍어줄게. 살짝 빠듯하니까 얼른 와~.

네. 이따 봬요.

······.

···하아.

이렇게 될 것 같더라니.

누가 일부러
막기라도 하는 것
같네.

참. 백운 씨
아까 인터뷰
진짜 좋더라고요.

감사합니다,
감독님.

먼저
읽어보셨군요.

아뇨!
사실 실장님께
몰래 듣고 싶다고
말씀 드렸어요.

바로
뒷 테이블에
앉아 있었는데
모르셨죠?

인터뷰를 들으니
더 확신이
생기더라고요.

아, 우리가
애타게 찾던 캐릭터가
이 사람이구나…!

냉어 공부를 다시 하고 있다. 언어는 쓰지 않으면 낯게 되는 것 같다. 배우라고
아직 작품을 많이 만나지 못했다. 기회가 많으면 좋겠다.

3. 드라마를 하게 된다면 어떤 장르를 도전하고 싶은지
팬들은 로맨스 드라마를 원한다. (웃음) 나는 상관없다. 뭐든 좋다. 좀 더 다양하
지 않을까?액션 스릴러도 재밌을 것 같다.

4. 도백훈의 로맨스 연기는 어떤 느낌일까?
연기는 어디까지나 연기겠지만, 스토리는 현실적인게 좋다. 직접 겪어보니 로
답지만은 않다. (웃음) 만남은 항상 나의 어딘가에 작은 흠집을 내고 끝나는
로맨스 연기라면 그저 밝고 포근한 것도 도전해보고 싶다.

특히 그,
잠깐 연애 이야기
할 때요.

센치함 속에
느껴지는 왠지
모를 애틋함
이랄까?!

그 캐릭터 인포랑
간단한 시놉인데
한번 쭉 보세요.

아, 네.
감사합니다.

어디 봐.
어머~
웬일이야.

완전
도백운이네,
이거~.

《아직도 그곳에》시트1

봐봐.
얘도 흉터가 있네.
여기 볼에.

흉터가 그 캐릭터의
가장 큰 포인트예요.
남모를 사연이 있는
캐릭터거든요.

감독님
그거 아세요?

백운이 흉터도
사연이 많아요~.

옛날에 진짜
말 많았어요.
지금은 퇴사한
애들인데.

지들끼리
흉터 치료해라,
아니다 하지 마라~
참나.

그 흉터,

전에 있던
*헤드 부커가
넌 이것도 없으면
너무 평범하니까

그나마
남기라고 해서
안 지운 거야.

*모델의 캐스팅과
매니지먼트를
담당하는 총 책임자

작가님도
알다시피 내가
살가운 성격이
아니잖아.

그래서
입사 초반에
꼰대들한테 단순히
밉보인 건데

그 때 순간
내가 그 정도로
모델로서의 뭣도
없나 싶었어.

다들
말을 막 하네.
무시 해.

상관없어.
내가 진짜
들어가고 싶었던
소속사라서

그 정도
각오는 했어.
외모 평가당하는 것도
내 직업이고.

……

초등학교
미술 시간에,
지점토로 한 시간 동안
작품 만들고 나서

사물함 위에
다같이 올려놓고
말리잖아.

뭐야.
생뚱맞게.

다같이
똑같은 주제로
만들어서, 자기 게
헷갈리니까

나는 내 걸
꼭 기억하려고

꾸욱

왜 그래? 불러도 못 듣고.

아, 하하… 죄송합니다.

집중해서 읽다 보니까.

음. 아무튼 저희는 이제 오디션 없이 바로 출연 요청드리고 싶은데요.

하겠습니다. 작품이 좋아서 재밌을 것 같네요.

그럼 식사 마치고 자리 이동할까요?

근처에 괜찮은 와인 바가 있는데 거기로ㅡ.

지울걸.

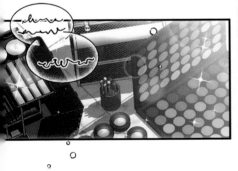

이경 씨! 아까부터 계속 전화 왔어요.

앗. 감사합니다!

여보세요?

네. 내가 니 여보입니다.

ㅋㅋㅋ

...아, 진짜!

스피커폰 켰으면 어쩔 뻔 했어요...!

뭘 어째. 냅다 공개 연애 하는 거지.

다 들린다...

잘 들려요...

쉬는
시간이야?

점심 먹고…
메이크업 수정받고
있었어요.

곧 다시
들어가겠네.

형은 오늘
뭐 했어요?

우리 아침부터
못 봤는데….

어…
뭐 했더라?

콜록

아침에 촬영장
갔다가 작업실 들러서
편집부에 개인 포토북
사진 보내고

……?

잠깐….

지지난 주에
렌즈 하나 해먹은 거
사느라 매장 갔다가

집으로 오는 길에
미팅 일정 잡혀서
잠깐 전화받고

이제 집 왔어.

콜록…

185

형 그럼 하루종일 아무것도 안 먹었어요?

목소리는 왜 그래요? 어디 아파요?

두 시간 잤잖아. 못 자면 가끔 코 막히고 그래.

당장부터 내일 오후까지 쉬니까 너무 걱정하지 마.

…그렇구나.

혹시 모르니까 밥 먹고 알레르기 약 챙겨 먹—

촬영 들어갈게요~.

부른다. 얼른 가 봐.

…일단 잠부터 자고 있어요.

최대한 빨리 갈게요.

어야. 수고해.

빠

빠

빠빠

깨면
어쩌지…

삐리릭!

쪼르륵~

123
456
789

끼이익..

쪼삼

쪼삼..

ㅅ아…

숨소리도
안 내고
푹 자네…

스-

끄응….

…으음.

이게
누구야.

M사의 자랑
전속 모델님
아니야?

자는데 깨워서
미안해요…!

아니야…
딱 좋게 잤어.

몸은 괜찮아요?
밥
포장해 왔는데…

소화 안 될까 봐
죽도 샀어요.

뭐
먹을래요?

우왓…

흐흐…
진짜 잘생겼다.

……

감기인가 했는데
열은 없네요.

다행이다.

…눈 앞에서
형 쓰러진 거
본 뒤로는

휘청거리기만 해도
심장이 내려앉는
다고요.

하아암

걱정했어?

잠 못 자고
기침 좀 한 걸로
이렇게 유난이면
어떡하냐.

미,
미안하다….

앉아 있어요. 제가 치울게요.

?

⋯⋯

그거 혹시 병 수발⋯?

안 아프다니까?

달그락

⋯⋯?

왜⋯,

스윽

짜증!

그냥 제가
하고 싶어서
하는 거예요.

……

너
왜 그래…?

오늘 왜 이렇게
꼬셔??

……

누구 과거가
너무 화려해서~.

여기서
더 분발하지
않으면 뺏길 것
같더라고요?

글쎄 그건
이미 다 끝난
일이라니까….

긴 회상을 듣고
굳어버렸던 이경…

형이 나 말고는
아무도 몰랐으면
좋겠다⋯.

⋯⋯.

누가
할 말인데.

지금 분명
부끄러워하는
얼굴이겠지⋯.

네. 갤러리에서 여는 콘테스트랑 같이 개최한대요.

교수님이 봐주신다고 하셔서 학교에서 작업해야 할 것 같아요.

사랑받는 제자구만!

오랜만에 학교 가겠네.

놀러가볼까~

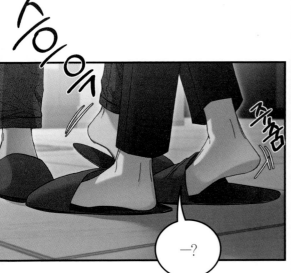

스윽

쪼쭘

―?

네. 내일… …오후에.

꽉;

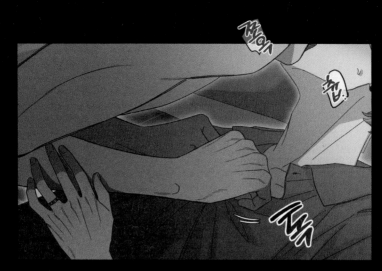

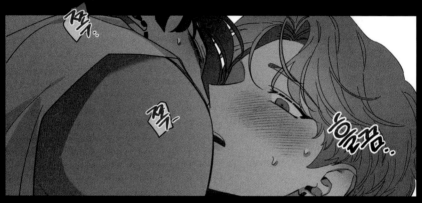

…너 내가 셔츠 입고 하는 거 좋아하니까.

하지,

앗?!…

깜짝!

화아

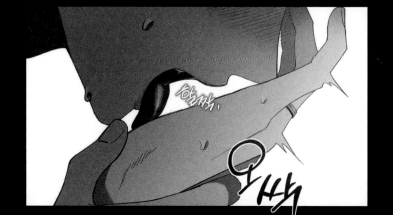

…!

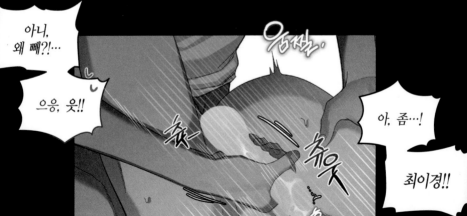

아니, 왜 빼?!…

으응, 읏!!

아, 좀…!

최이경!!

아… 앞으로
가기 싫어…!!

……

!?

멍..

빡

…?

…!!

잠깐,
잠깐만요, 형.

일부러 그런 게
아니라…!

찌익

알아.
못 들은
거겠지….

…형.

얼굴 봐도 돼요?
보여줘요….

…싫어.

......

...아, 좀.

미안해요.

그거,
그렇게 싫었어요...?
이제 절대
안 할게요...

......

...싫었, 다기
보다는,

그냥......

…너무

자극이
심하니까….

…?

…그,

그러니까…,

흥분,
됐다는….

……．

네가 하도
바보니까…

내가 이런 것까지
군이 설명해야
하잖아…!!

바보야!!!

기, 기분은
좋았다는 거죠…?!

바보면서
한번에 핵심을
간파하는 것도
열받아…!!!

다음 날 아침.

최이경…

나 진짜
몸살 난 것
같아…

어제 안 먹은
죽 꺼낼게요…!

???

어…?

상하 누나?!

어?
최이경!

…그, 그래서

내가 선배한테 솔지를 소개해준 거지만…

진짜 말도 안 돼….

아무튼 되게 오랜만에 만나네.

그동안 잘 지냈어? 선배는 잘 지내?

엇….

그게, 형은 지금….

엥? 몸살??

전날부터 몸이 안 좋아 보이긴 했는데요….

저 때문에 뭐를, 좀… 무리하는 바람에….

233

상태가
더 안 좋아진 것
같아요…

오늘은 집에서
쉬고 있어요.

……ㅇ

쯔쯔쯧!

이런 투명한
녀석…

어디서 샐까 봐
걱정이다.

빡-

아, 그래?

음. 근데
딱히 너 때문은
아닐 거야.

토카리스

그 선배가 원래
여름만 되면
시름시름 앓아.

…….

혹시…,
사고당하셨다던
친구분 일 때문에
그런 걸까요?

덜컹

뭐?
아냐아냐.

선배가 더위를
유독 심하게
타는 거 알지?

거기에다.

여름이니까
시즌 제품 촬영도
많이 겹치고.

그러다 보면
끼니 챙길
시간은 없고.

촬영 잘 안 되면
담배 피우고.

새벽까지
회식하고.

알고 있었지만
정리해서 들으니
심각성이…

심각….

그냥…
네가 잘 좀
챙겨줘.

모델 알바 때문에 안 나올 줄 알았는데.

아. 안녕하세요, 교수님.

그래도 졸업 작품은 해야 할 것 같아서요. 일정도 다 뺐습니다….

그것도 하고 이것도 하는 거야? 몸이 남아나질 않겠네….

나는 너 이제 미술 안 하는 줄 알았는데. 어쨌든 오니까 좋다.

시간 나면 작은 걸로 두 점 정도 더 해볼래? 양쪽에 걸면 예쁘겠다.

자주 봐줄테니까 연필 스케치에 너무 시간 빼지 말고 하던 대로 해~.

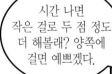

가, 감사합니다….

두 점이나…?

시간이 날까…?

237

다혜는
머리 왜 길러 왔어?
위로 묶고 해.

ㅋㅋㅋㅋ
아 교수님~!
요즘 누가
그런 짓 해요~.

머리카락으로
그리지 말고~
바로 빠꾸 시킨다.

......

얼~
최이경~

힘 좀
들어가겠는데~

보여줄게,
내가.
ㅋㅋㅋㅋ

꽈악.

…휴우!

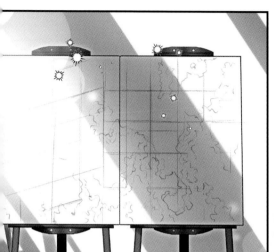

뭔가, 좀.

그림이 답답한데.

야! 최이경!

집 언제 가냐? 야작해?

아니. 집에 갈 거야.

스케치가 애매해서…. 그냥 내일 일찍 와서 다시 하려고.

캬, 에이스 답네! 페이스 조절 봐라.

형 걱정돼서 일찍 간다고는 말 못 해…

내일부터는 진짜 집중한다…

나 아까 전에 너네 학과장님 마주쳤다?

너한테 모델 알바 추천해준 사람 나라고 했다가 등짝 맞았잖아.

왜 남의 과 인재 훔쳐가냐고…

학과장님 손 매운데.

죽다 살아난 거 아니야?

그래도 작년부터 미리 준비한 졸작은 하고 죽을란다.

잘 가라~ 내일 봐!

응. 잘 가!

형은 집에서도 일하고 있나 보네.

몸은 좀 괜찮나….

그건 그렇고 오늘 저녁은 직접 하려고 했는데.

내일은 꼭 형이랑 집밥 먹어야지.

냉장고에 뭐가 남아 있더라?

맛있는 거 만들고 싶어.

아니. 없다니까?

니가 한번 가서 봐 봐!!

애 요즘
일이 없나 봐.

그러게 내가
나중에 혼자 따로
온다니까….

스케치
SKETCH

너 이주빈이랑
같이 있는 거
아니었냐?

나 슬슬 무섭다.
그 새끼 혼자 있다가
사고 칠까 봐.

크루 탈퇴한 이후로
내 전화는 다 씹어서
연락이 안 돼.

너도 참... 새끼야.
사귀면 생일에는 좀
같이 있지 그랬냐?
아, 너 파리 갔었나.

따
다
다

...너 걔가
자기 생일 오는 거

존나 싫어하는 이유.
모르지?

씹…!

내가 그걸
어떻게 알아…

작가님 같은 사람들은
모르잖아요.

욕심 같은 거.

꿈 같은 거.

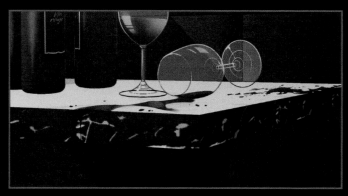

평생 그 재능으로
여러 사람들한테
인정받고

잃을 것 없이
다 가져봤을 테니까.

왜 왔어?

...꼴이
그게 뭐,

나가.

혼자인 게
더 나아.

그래서 난,
우리가 잘 맞는다고
생각했어.

통 통

뛰오

뛰오

뛰오

빡

후우….

슬슬…

백우니 쉬엄쉬엄 해~. 왜 이렇게 달려? 오늘 오프랬나?

네. 오프예요.

엄~청 오랜만에 쉬네….

251

……．

잡생각 때문에 괜히 더 달렸네…．

그 일이 대체 몇 년 전인데 여름만 되면 왜 이렇게…．

그 양아치가 잡아온 촬영만 취소돼도

이렇게까지 신경 쓰이진 않았겠지.

출국 전에 한 번 더 가볼 수 있는지 일정 좀 봐야겠어.

아으으,
둘 다 바쁘니까

데이트하기가
하늘의 별 따기다.
그치?

이게 바로
주말부부인가?

ㅋㅋㅋ

막 이래.

부부…!

아직 몸도 안 좋은데
무리하는 거 아니에요?
전 집도 괜찮은데….

에이, 그래도
데이트는 야외지.

요즘 졸업 작품은
어떻게 되고 있어?
잘 돼가?

그림을 너무 오랜만에 그렸더니 감을 잘 못 잡겠어요.

계속 수정하니까 뭘 표현하고 싶은지도 모르겠고….

그림이…

답답해요. 이유를 모르겠어요.

…저도 상황에 영향을 많이 받는 편인가 봐요.

??

형은 요즘 일하는 거 어때요? 계속 바빴던데.

나? 나야 뭐….

여름이라 회식도 다시 많아졌고…

아… 하하….

그래도 빨리 들어오잖아….

최근들어 패션 매거진 작업이 많이 들어와서 화보 촬영 다녀.

선배가 이것저것 찔러주는 것 같아. 계속 이쪽 작업 하라고 그랬었거든….

…화보.

그럼 연예인이나 모델 찍겠네요.

촬영장 어시 가서 형 감시를 해야 하는데 이놈의 졸작…

우와! 와!!

너 그런 말도 할 줄 알아?!

255

이럴 때 둘이
해외 여행이라도
같이 가면
좋을 텐데
말이에요…

그러게.
아쉽다.

그나마 다행인 건
내가 지금 해외 스케가
없다는 거야.

내가 최이경 없이
해외를 어떻게 가?
절대 안 가! 못 가!!

뿌밧

감동….

국내여도
좋으니까 진짜
꼭 같이 가요.
쉬는 여행.

쓰읍

바쁜 거 전부
괜찮아지면요…

……

맞아.

지금 내가 형 말고도
신경 쓸 일들이
너무 많아져서

자꾸 형을
놓치는 것 같지만

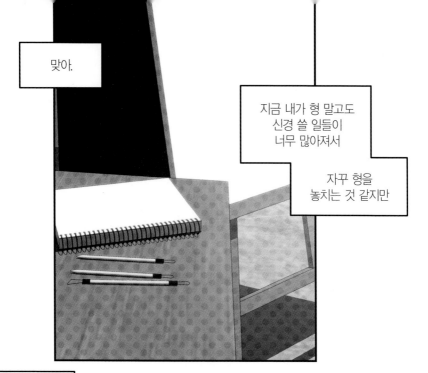

나만 형을
붙잡고 있는 게
아니니까.

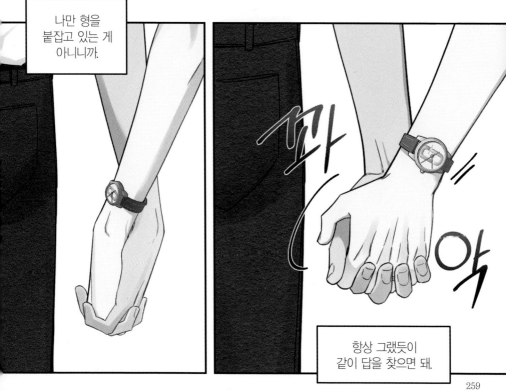

항상 그랬듯이
같이 답을 찾으면 돼.

너…!!

말도 없이 무슨…
놀랐잖아!!

뚝!!

두근

두근

두근

주말부부
되니까

괜히 더
불타오르는 것
같은데
어떡해요…!

소근

누구 때문에
밖에서 데이트를
못 하겠네…

그렇게 제가
집도 괜찮다고
그랬잖아요…

뚫어져라..

저…

갈피를…

못 잡겠지. 응.
그래서 불렀겠지.

네…

이거 참… 허어…
색부터 발라보라고
하고는 싶은데

망칠까 봐 그러지?
하이고~ 시간도
없는데, 깐깐아.

진작 좀
할걸…

???

촬영장 어시 가서
형 감시를 해야 하는데
이놈의 졸작….

근데 나는
나쁘지 않거든?

오히려 이게
평소 네 그림보다
주제도
강해 보이고.

너도 잘 봐봐.
스토리가 있잖아.

모르겠어?
내가 그렸는데?

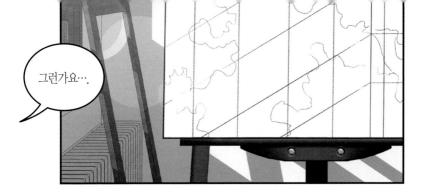

그런가요….

작품 예상 완성일까지
얼마 남지 않은 상황.

아직도 주제를 가지고
허우적거리는 건…

말이 안 된다.

봐. 창에 비치는 건
너무너무 화창하고
예쁘거든.

근데 넌 왜
자꾸 답답하다고
할까?

이 그림은
내가 피드백하면
재미가 없어질 것 같다.
스스로 찾아봐.

넌 무의식적으로
스케치했다고
생각 하겠지만

분명 뭔가를
생각하면서 그렸으니까
완벽하게 잘하고 싶고,
그만큼 까다로운 거야.

-그 생각을 하면서
돌아다니다 보니

자연스럽게
형 작업실로 오게
됐어…

그냥 확실하게
피드백 주시지….

평소엔 안 그러시면서
왜 갑자기 과제를
내주시는 거냐고…

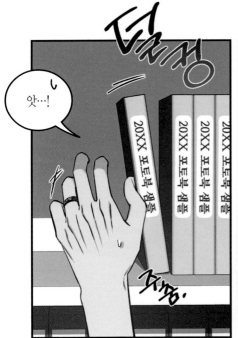

앗…!

……

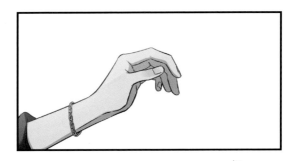

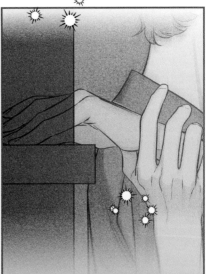

놀리지
마세요!

사랑 그거
할 수 있어요…

잘 할 수
있단 말이에요,
저는….

고마워.

내 앞에
세 번이나
나타나줘서.

…비록 중간에
비가 왔었지만,

화창하고 예뻤어.

아무래도 나는
형을 만나면서 겪은 일들을
표현하고 싶었던 것 같다.

나 진짜
머리에 형밖에
안 들었나?!

졸작에까지
이런다니…

새삼…

그렇다면
답답하다는 건
내 생각일 거야.

내 그림은
창문 너머가 아니라,
창에 비춰지는
풍경이니까.

내가 답답하다고
느낀 부분을
수정하려면…

그 풍경을 비추고 있는 창문을 좀 더…

어, 씨…

뭐지?

이게 왜 열려 있…

……?

…!?

문을 안 잠그고
들어왔었나?!

…누구세요?

…….

빠반

이주빈
작가님이랑

몇 년 전에
같이 일했었던
모델인데요.

...아.

아...!!

형이 얘기했던
그 사람이다...!

전 애인...!

이야기는 그때
전부 다 들었지만,
실제로 만나니까...

......

…역시
질투 난다!!!

잘생김.

……?

저기요?

몸 좋음.

왠지
비싼 것 같은
향수 냄새.

키 엄청 큼.

그런데 분명
이 사람과의
관계는

날 만나기 이전에
전부 다 끝났다고
그랬는데?

빠안.

어어… 네?

여기엔
왜 온 거지?
무슨 이유로??

…아.

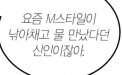

어디서 봤나 했더니

요즘 M스타일이 낚아채고 물 만났다던 신인이잖아.

부끄...

…혹시.

몇 년 전의 나처럼 이 사람도

움찔

이주빈 작가를 데뷔 발판으로….

썩.

277

최이경
입니다.

형...
아, 아니.

이주빈 작가님께
이야기
들었습니다.

이야기...?
내 이야기??

무슨 이야기를
했다는 거야??

아...
그래요?

포커페이스

...도백운 입니다.
저도 최이경 씨 얘기
자주 들었어요.

요즘
유명하시죠?

유명....
제가요?

(거짓말)

저는 여기에
두고 간 게 있어서
들렀는데….

무슨 일로
오셨죠?

계약 건으로
찾아왔는데,
이주빈 작가님은 오늘
안 오시나 봐요?

아. 제가 대신
전달해드릴까요?

……?

직접
만나야 하는
일이라서요.

CONTINENTAL
UNIVERSITY
since
1998

다시 오게 하고 싶지 않은 사람과

다음은
없습니다…

다시
오지 마세요…

왜 화가 났지?
아니면 원래 저렇게
생긴 건가?

빨리 처리하고 다시는 오기 싫은 사람

아, 됐어.
관심 없어.

오늘 안 온다면
그냥 돌아갈게요.
저도 일정이 있어서.

혹시
지금 애인?

…뭐라고요?

그렇고 보니…
그렇네. 아까부터
무슨 말인가
했거든요.

와. 진짜
이 작가님 취향의
현신이신데요?

헉… 진짜?

아. 아니!!!
이게 아니라!!

다음 날.

…와.

얼굴 한 번 보기
진짜 어렵네.

말 걸지 마.

상태는
왜 그래요?
또 몸살?

한종원 이 새끼
다음에 만나면 진짜
죽여버릴 거야…

줄
서시죠~.

그 화상은
내가 먼저
죽일 거니까.

어제 최이경이랑 무슨 얘기 했어.

말 걸지 말라며?

뭐어, 별말 안 했어요.

최이경 씨 재밌던데요.

생긴 거랑 다르게 어리숙하고. 무슨 생각을 하는지도 모르겠고.

함부로 말하지 마. 네가 보는 것보다 훨씬 성숙한 사람이야.

예민하긴.

문이 열립니다.

......

네. 뭐,
행복하세요.

콜록
콜록

으윽

그거 계약서
샘플이야?

나 줘봐.
한번 읽어보고
들어가게.

뭘 군이
읽어요.

어차피
인사하고 안 한다고
말씀드리고 바로
나올 거.

슥

최근에
작가님은 복귀했지,
나는 상승세지.

……

딱 봐도 한 번에
두 마리 토끼 잡으려고
매달리는 거예요.

이거
한다고 해.

왜

……?

뭐?

난 할 거야.
너도
한다고 해.

네 말마따나
나는 복귀했고,
너는 상승세고.

그러게.
못 할 게
뭐가 있지.

둘 다 윈윈인데
못 할 건 뭐야?

근데 작가님.
이거 하도 미팅을
질질 끌어서

계약하면 바로
샵이랑 어시팀
소집해서 회의해야
할 텐데?

척-

그게 뭐?
할 수 있어.

샵은 실장님한테
컨셉이랑 컬러 자료만
보내드리면 되고,

장비 어시는
여기서 대주니까
오늘 출근했겠지.
넌 미팅만 하고 가.

……

마무리 좆같이 하고
몇 년 만에 재회해서
열받는 건 알겠는데.

지금 우리 사이에
아무것도 없다면서
한 마디 한 마디에
버럭하는 쪽이
누구야?

따박

따박

내가 아까부터
작가님한테 싸우자고
말 건 적 있었어요?

아니면 내가
지금 계속 싸움을
걸어놓고 눈치가
없는 건가? 오늘
왜 이렇게 예민해?

…….

할 말 없음

우리라고
하지,

주글짝

마⋯⋯.

이, 미친⋯.

진짜 가지가지 한다⋯!

너야말로 답지 않은 짓 좀 그만해⋯.

남들 다 오고 싶어도 절대 못 오는 곳이야. 너도 오고 싶어 했잖아⋯.

입 열지 마.
피 다 마시고
싶어?!

백운아.

나는 네가
한결같아서
좋았어.

섹스할 땐
연인 같아도
항상 네 목표가
우선인 게

이상하게
위로가 돼서.

……

이주빈.

그런데 네가
처음으로 나한테
헤어지자고 한 날
알았어.

네가 직접
끊어주지
않았다면

언젠간 네가 날
진심으로 사랑해주길
바랐을 거야.

네가
사랑하는 건

네가 절대로
가지지 못할 것 같은
것들인데도.

…… …….

그런 추상적인
것들에 사람인
내가 졌어.

형체도 없는
것들이랑
겨루기는 싫어.

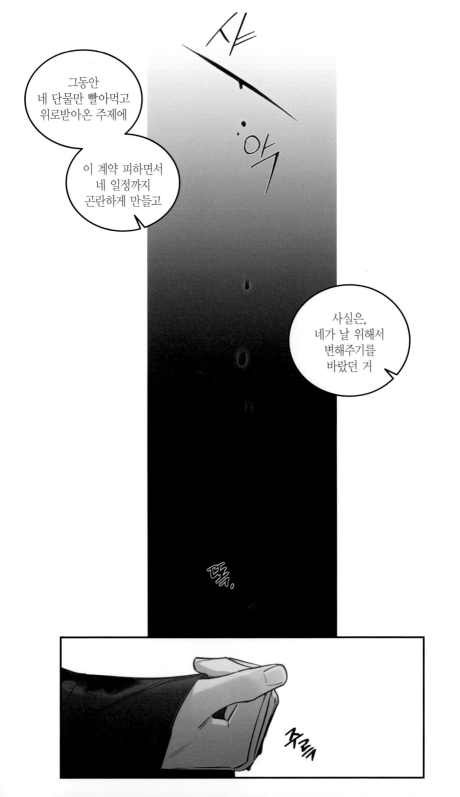

…안녕하세요,
실장님.

혹시
화장실이…

아니, 작가님…
이제 무슨
일이야…

제가
모셔드릴게요.
세상에…!!

지수 씨,
백운 씨 먼저
미팅룸으로 안내해
주세요.

작가님 괜찮으세요?
두 분 다 셔츠 새로
가져다 드릴게요…

저… 이쪽으로
와주세요.

이제야 조금 알 것 같다.

…사과
만큼은

진짜 듣기
싫었는데.

이게 헤어지는 거구나.

으아아~!

아, 눈 아파...
지금 몇 시지?

뿌빗

응??

왜 벌써
저녁 8시야??

8:05

?!

실습생 초능력: 타임 워프

형한테 연락
해야겠다.

집중했더니
완전 깜빡했어.

형도 오늘
많이 바쁜가 보네.
연락이 없다…

시무룩…

야,
최이경~.

너 오늘
야작할 거야?

으음,
글쎄···.

컨펌까지
얼마 안 남았는데
색이라도
발라 놔~.

너 캔버스도 크잖아.
어느 세월에 두 개
다 칠할래, 그거~.

교수님 말투
따라 하지 마···.
소름 돋아.

진짜-똑같다.

흠···
그러면

오늘은
기다리지 말고
먼저 자라고
연락해줘야 하나.

······?

와아⋯ 맨날 둘이 같이 자나 봐⋯?

소곤

뭐, 뭣⋯, 그렇긴 한데⋯

나 연애 중인 거 다른 애들한테는 비밀이라니까⋯!

너 반응 때문에라도 다 들키겠다⋯.

다들 밥 먹으러 나갔어.

우리도 밥 먹자. 아사할 것 같아.

어⋯. 저녁 뭐 먹을까?

선택권이 어딨어~ 가던 데나 가야지.

떡라면 먹을까, 김치볶음밥 먹을까⋯.

거기 김치 사장님이 직접 담그신대.

헉⋯ 왠지 맛있더라!!

우웩…
떡라면 얹혔다.

그러게 그냥
밥 먹으라니까.

괜찮아?

우웈…

아니?
토할 것 같아.
이러다 등록금 뽕도
못 뽑고 병원비만
추가되겠어.

이래서 아무리
바빠도 집밥을 꼭
먹어야 된다니까.

못 쉬어서
그런 거 아니야?
그러다 죽어…

▲입시 조교+졸업 작품 2연타

아, 참.
너 그림
멋지더라.

갈게.
내일 보자~.

파스삭…

조심히 가!

어어...?
주빈이 형?!

여, 여긴
어떻게 왔어요?!

차로 왔지…
작품은 잘 했어?

오늘은 물감까지 들어가서 당분간 여유 있어요.

차는 어디에 세워놨어요?

부빗

정문 갓길에 세워놨어. 새벽이라 괜찮아…

갈 때는 내가 운전할게요!

그런데… 설마 점심에 나가서 지금까지 계속 회의한 거예요?

안절 부절.

딜레이가 많이 된 건이었어. 밀린 쇠뿔 단김에 뽑느라 많이 늦었네…

이경아… 자기야. 너무 보고 싶었어.

너도 수고 많았어. 빨리 들어가서 쉬자….

…혹시,
그 모델이랑 작업
하기로 했어요?

미안…
안 하려고 했는데
조건이 좋아서.

촬영날 너도 꼭 와.
너 없으면 표정 관리
못 할 것 같아.

당연히
갈 수 있는데,

그보다 형
요즘 너무….

우리 둘 다
오랜만에 바빠져서
정신이 없잖아.

그런데
앞으로도 그럴 거야.
안 그런 날도 분명
오겠지만….

스케치
SKETCH

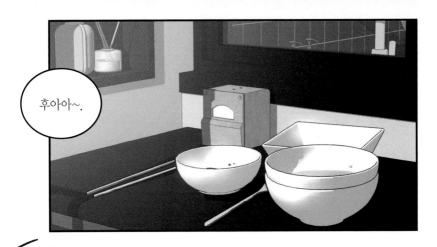

후아아~.

잘 먹었습니다!

민들...레...

너무 맛있었어. 사 먹는 밥이랑은 비교가 안 돼!

그릇은 그냥 둬. 내가 치울게.

자취할 때 버릇이라⋯. 약은 먹었어요?

먹었어, 먹었어.

이리 와, 얼른.

저 어제 작품한 거 볼래요?

응. 보여줘.

와, 예쁘다!!
이거 전시만 하기엔
아까운데?

초반에
애 좀 먹었지만

최종 수정이
마음에 들어서
의욕이 생겼어요.

이런 인재를
패션계로 훔쳐 오다니
난 벌 받을 거야.

와앙

제, 제 발로
걸어 들어왔는데요,
뭘…

그렇다면 죗값은
더치페이인 걸로.

태세 전환이
왜 그렇게
빨라요.

ㅋㅋㅋ

근데, 형.

어차피
먼저 반한 사람이
더 내야 될걸요.

……. 한 마디를
안 져요…

……!

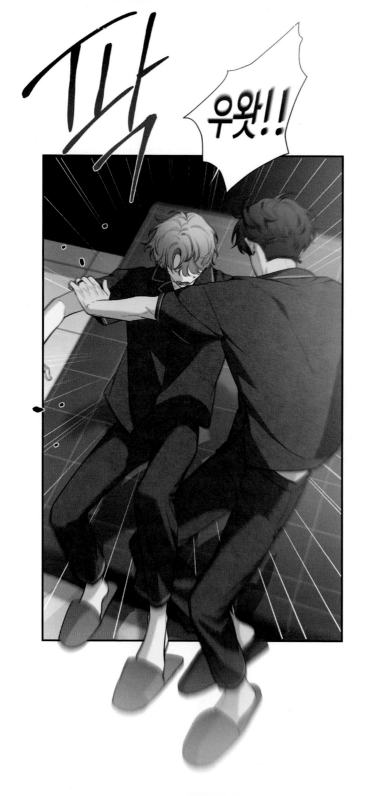

......

놀라서 아무 말.

…너 지, 진짜 스킨십 좋아한다.

전혀요.

나중에 우리 부모님 만나면 물어봐요.

......

317

오늘은 그냥 쉬기로 했잖아요…!

형은 저보다 일이 더 좋죠!!

몰라. 환자한테 섹스 사인 보내는 변태랑은 약속 안 해.

큭… 폭발한 거 진짜 웃기다…

ㅋ…ㅋ ㅋ

내가 무슨 변태예요!

혀, 형이 더 변태면서…

웅얼…

밥도 좋았지만
다른 걸
먹고 싶었어.

이 정도로
봐줄게.

아프지 마요,
세발…

너 지금 내가
안 아프길 바라는
사람 맞아?

형은 진짜 저를 뭘로 보는 거예요…!

농담이야~ 여전히 놀릴 맛 나네….

그치만 동거하기 전에 사무실에서 네가 했던 말을 생각하면~.

그, 그거는!!

그거는 뭐~

너랑 나 사이에
아직 뭐라도 있는
것처럼 굴지 마.

이전 같았으면

도백운,
너 뭐라도 돼?

너 아직
그 정도 아니야.
주제 파악해.

−라면서 따갑게
쏘아붙였을 텐데.

난 왜 그 사람이
위태롭던 그때
그대로일 거라고
생각한 거지.

헤어진 이후로
몇 년이나
지났는데.

미안하다.

줄곧
다른 곳을
보다가

단 한 번
마주보고 한다는
말이 겨우.

비켜요.

그 일
왜 한다고 했어?

…그냥,

어쩌다 보니까.

너네 꼬라지가
딱 거절할 것 같은
꼬라지였는데.

묶지 마요.

응? 뭐?

뭐라고?

'너네'라고
묶지 말라고.

그거
묶지 말라고요.
초딩 같으니까.

……

왜 또
시비야….

워낙
유명한 곳이고.
작가님도 나도
타이밍이 좋고.

거절할 이유가
뭐가 있어요.
웬일로 좋은 거
물어 왔네요.

…존나
이상한데,
너네.

흐흑

흐음..

BROKE
KIT

스케치 시즌2 SYMPATHY 2

2024년 3월 15일 1판 1쇄 발행
2024년 3월 26일 1판 1쇄 발행

글・그림 도삭

발행인 황민호
콘텐츠4사업본부장 박정훈
책임편집 이예린 | **편집기획** 강경양 김사라
디자인 All design group 중앙아트그라픽스
마케팅 조안나 이유진 이나경 | **국제판권** 이주은 한진아 | **제작** 최택순 성시원 진용범
발행처 대원씨아이(주) | **주소** 서울특별시 용산구 한강로 3가 40-456
전화 (02)2071-2018 | **팩스** (02)749-2105 | **등록** 제3-563호 | **등록일자** 1992년 5월 11일
www.dwci.co.kr

ISBN 979-11-7203-551-8 (07810)
ISBN 979-11-7203-549-5 (세트)